4 Make up your own sente[nc...]
   the pictures to help [...]

At the supermarket

una cebolla

una lechuga

un pimiento

una patata

¡Vale!
OK!

5 Read and
   learn the
   words in the
   speech bubble
   at the bottom
   of the page
   and try them
   out with your
   friends.

6 Test yourself! Cover the words,
   look at the picture and say or
   spell the Spanish word.

Written by Amanda Kelly
Illustrations by Ian Cunliffe

Published by Ladybird Books Ltd

A Penguin Company
Penguin Books Ltd, 80 Strand, London WC2R 0RL, UK
Penguin Books Australia Ltd, Camberwell, Victoria, Australia
Penguin Books (NZ) Ltd, Cnr Airbourne and Rosedale Roads, Albany, Auckland, 1310, New Zealand

4 6 8 10 9 7 5 3

© Ladybird Books Ltd MMV

LADYBIRD and the device of a Ladybird are trademarks of Ladybird Books Ltd

All rights reserved. No part of this publication may be reproduced,
stored in a retrieval system, or transmitted in any form or by any means,
electronic, mechanical, photocopying, recording or otherwise,
without the prior consent of the copyright owner.

Spanish for School

Ladybird

Mi familia

¡**Aquí está** mi familia!
Here is my family!

¡Hola!
Hi!

mi hermana

mi padre

mi madre

6

My family

Me llamo Miguel.
My name is Miguel.

mi abuela

mi abuelo

mi hermano

En el zoo

Me gustan los canguros.
I like the kangaroos.

los elefantes

los leones

las cebras

las jirafas

los osos polares

los canguros

los leopardos

los flamencos

¡Prefiero los flamencos!
I prefer the flamingos!

El transporte

Voy en coche.
I go by car.

en autobús

en barco

en tren

en bicicleta

Transport

en avión

en metro

en helicóptero

en coche

¡Qué ruido!
What a noise!

En el pueblo

Busco la plaza mayor.
I'm looking for the main square.

la plaza mayor

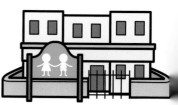

la escuela

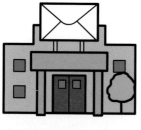

correos

la cafetería

In the town

el museo

la playa

el mercado

la estación

¡Está aquí!
It's here!

Los animales

Tengo un conejo.
I have a rabbit.

una serpiente

un perro

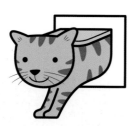

un gato

un loro

Animals

un pájaro

un pez

un caballo

una araña

¡Qué lindo!
How cute!

En el supermercado

Quiero una sandía.
I **want** a watermelon.

una manzana

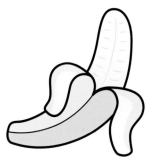

un plátano

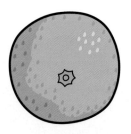

una naranja

una sandía

At the supermarket

una cebolla

una lechuga

un pimiento

una patata

¡Vale!
OK!

17

En la cafetería

Como un sándwich.
I am eating a sandwich

una tortilla

unas patatas fritas

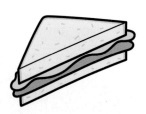

un sándwich

una hamburguesa

In the cafe

un pastel

un helado

arroz con leche

un flan

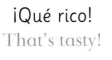

¡Qué rico!
That's tasty!

Compro un sombrero.
I am buying a hat.

un abanico

una muñeca

una camiseta

unas castañuelas

At the souvenir shop

un sombrero

un llavero

un bolso

una tarjeta postal

¡Qué fantástico!
Fantastic!

En la playa

Hay un balón.
There is a ball.

unas conchas

un cangrejo

un castillo de arena

un balón

una pala

un cubo

un barco

unos delfines

¡Me divierto!
I am having fun!

En el parque

Veo unas flores.
I see some flowers.

un árbol

unas flores

unos columpios

un tobogán

24

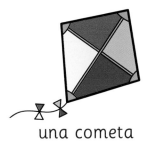

una cometa

unos niños

unas niñas

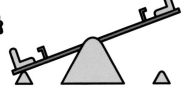

un balancín

¿Quieres jugar?
Would you like to play?

La ropa

Llevo un gorro verde.
I am wearing a green baseball cap.

unas zapatillas blancas

unos pantalones

una blusa rosa

un jersey rojo

Clothes

una camisa naranja

un gorro verde

unos calcetines
amarillos

unos zapatos negros

¡Qué bonito!
How pretty!

En la granja

Hay unas ovejas.
Here are some sheep.

un tractor

dos caballos

tres vacas

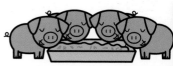

cuatro cerdos

On the farm

cinco ovejas

seis cabras

siete mariposas

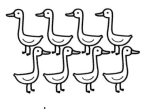

ocho gansos

nueve patos

diez gallinas

1
uno

2
dos

3
tres

4
cuatro

5
cinco

6
seis

7
siete

8
ocho

9
nueve

10
diez

Palabras útiles

los días de la semana	days of the week
lunes	Monday
martes	Tuesday
miércoles	Wednesday
jueves	Thursday
viernes	Friday
sábado	Saturday
domingo	Sunday

los meses del año	months of the year
enero	January
febrero	February
marzo	March
abril	April
mayo	May
junio	June
julio	July
agosto	August
septiembre	September
octubre	October
noviembre	November
diciembre	December